Gwen Lunch

Dechrau 1£

CW00855536

# Dirgelwch
# Y Tŷ Gwag

Siân Lewis

GOMER

*Argraffiad cyntaf – 2003*

ISBN 1 84323 258 8

Cyhoeddwyd dan gynllun comisiynu Cyngor Llyfrau Cymru.

Dymuna'r cyhoeddwyr gydnabod cymorth Cyngor Llyfrau Cymru.

Cyhoeddir y gyfrol hon gyda chymorth Cyngor Celfyddydau Cymru.

*Argraffwyd yng Nghymru gan*
*Wasg Gomer, Llandysul, Ceredigion*

FFEIL

Tomos Aled Beynon

i dditectifs

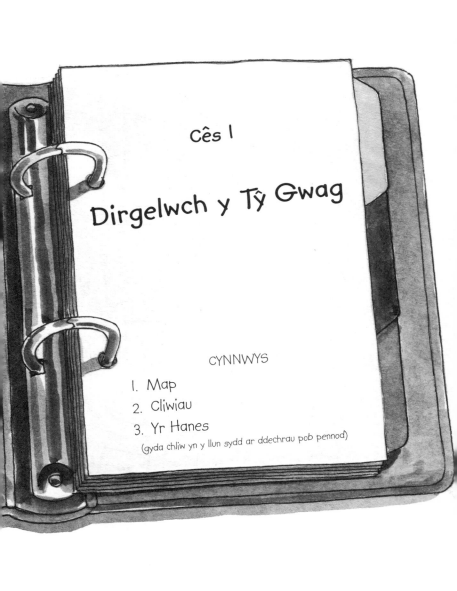

Cês 1

Dirgelwch y Tŷ Gwag

CYNNWYS

(gyda chliw yn y llun sydd ar ddechrau pob pennod)

# Tŷ Mawr a Stad Bryn-Crin

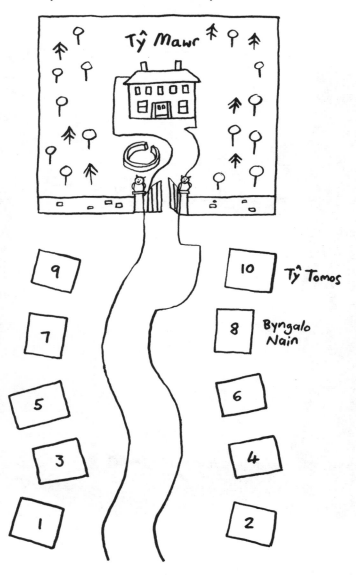

# Y cliwiau cyntaf . . .

# Cliw!

Prynhawn dydd Gwener oedd hi, prynhawn gwyntog ym mis Hydref. Roedd Ditectif Tomos Aled Beynon newydd ddisgyn o'r bws ysgol ac yn anelu am ei gartref, Rhif 10, Stad Bryn-crin.

Yn ymyl cartref y ditectif roedd gât hardd Tŷ Mawr ac yno eisteddai Locsyn y ci. Roedd e'n gwylio darn o bapur gwyn yn chwythu yn y gwynt.

'Iap!' meddai Locsyn gan daro'r papur â'i drwyn i gyfeiriad Ditectif Tomos.

Taflodd y ditectif ei hun i'r chwith a dal y papur cyn iddo chwythu'n ôl at y gât.

'Hei!' meddai. 'Cliw!'

'Iap?' meddai Locsyn gan syllu ar y Blutac ar gefn y papur.

Dangosodd Ditectif Tomos y cliw i Locsyn a darllenodd yn uchel:

'*Na Na Na Na Na! Na ni ni na 'da ni.*' Edrychodd ar y ci defaid. 'Wel,' meddai, 'beth wyt ti'n feddwl o hwnna, Locsyn? Ydy e'n profi unrhyw beth?'

Dechreuodd Locsyn ysgwyd ei gynffon a gwên fach gynnil ar ei wyneb.

'Mae e'n profi fod teulu newydd wedi symud i mewn i Tŷ Mawr,' meddai'r ditectif. 'Cytuno?'

'Iap iap iap iap iap!' bloeddiodd Locsyn yn hapus. Roedd e'n cytuno'n llwyr.

Dododd y ditectif y darn papur yn ei fag ysgol a cherddodd y ddau gyda sbonc at ddrws ffrynt eu tŷ.

# Pennod 1

Un ar ddeg oed oedd Ditectif Tomos Aled Beynon ar y dydd Gwener arbennig hwnnw – un ar ddeg, ond bron iawn, iawn â bod yn ddeuddeg. Drannoeth oedd dydd ei ben-blwydd.

Felly doedd e *ddim* yn dditectif go iawn. Ond roedd pawb ar stad Bryn-crin yn ei alw'n dditectif. A dyma pam:

1. Tomos oedd yr unig blentyn oedd yn byw ar stad Bryn-crin. (Dim ond deg tŷ oedd ar y stad.)
2. Roedd e'n fachgen cwrtais a pharod i helpu.
3. Roedd ganddo lygaid craff ac roedd e'n dda iawn am ddod o hyd i bethau.

Mr Harris, Rhif 6, oedd y cyntaf i alw am help Ditectif Tomos. Un nos Sadwrn, pan oedd Tomos allan ar ei fwrdd sglefrio, rhedodd Mr Harris at y drws a gweiddi'n wyllt: 'Tomos! Dwi wedi ennill £83 ar y loteri, ond dwi wedi colli'r tocyn! Dere i edrych o dan y soffa, Tomos bach. Rwyt ti'n fwy ystwyth na fi.'

Pan ddaeth Tomos o hyd i'r tocyn o'r diwedd – yn sownd wrth *Extra Strong Mint* ar y ford ger y ffôn – roedd Mr Harris wrth ei fodd ac fe gafodd Tomos siâr o'r £83.

'Diolch o galon, Mr Harris,' meddai Tomos yn gwrtais.

'Diolch i *ti*, Tomos bach,' atebodd Mr Harris. 'Rwyt ti'n dditectif da dros ben.'

Byth er hynny, roedd pawb ar y stad yn galw am Tomos pan oedden nhw'n colli rhywbeth. Hyd yn hyn roedd Ditectif Tomos Aled Beynon, gyda help Sarjant Locsyn Lewis, wedi darganfod:

    modrwy
    llyfr pensiwn,
    hamster o'r enw Mici
    ffôn symudol
    a phêl golff wedi'i harwyddo gan Ian Woosnam.

Doedd hynny ddim yn waith cyffrous iawn ac roedd Tomos yn teimlo tipyn bach o gywilydd bob tro roedd rhywun yn ei alw'n dditectif. Er hynny, roedd e'n cael blas arni ac yn gobeithio'n FAWR y câi e gyfle i fod yn dditectif go iawn rhyw ddiwrnod. Roedd Locsyn yn gobeithio hynny hefyd ar ran ei ffrind. Dyna pam oedd e wedi cadw llygad mor ofalus ar y darn o bapur oedd yn chwythu yn y gwynt tuag at gât Tŷ Mawr.

'Helô, Nain!' galwodd Tomos wrth agor drws Rhif 10 ar y prynhawn dydd Gwener hwnnw.

Daeth Nain i'r golwg o'r gegin gydag oglau lemwn yn ei dilyn.

'S'mae, 'rhen Dwm?' meddai Nain a'i llygaid yn disgleirio. Roedd hi'n meddwl y byd o Tomos.

Roedd gan Nain ei byngalo ei hun yn Rhif 8, drws nesa, ond bob yn ail nos Wener roedd hi'n dod i gadw cwmni i Tomos tra oedd Mam a Dad yn mynd i Bontypridd i roi tro am Wncwl Dan a oedd dros 90 oed.

'Mae'r bobl newydd wedi symud i Tŷ Mawr 'te,' meddai Tomos gan ollwng ei fag ysgol ar y llawr.

'Debyg iawn!' meddai Nain. 'Wyt ti wedi'u gweld nhw?'

'Na.'

'Eu clywad nhw?'

'Na.'

'Felly sut gwyddost ti, 'mach i?'

'Cliw!' meddai Tomos gan estyn y darn papur o'i fag ysgol a'i ddangos i Nain. *'Na na na na na!'* canodd. 'Fyddai neb ar Stad Bryn-crin yn sgrifennu rhywbeth fel 'na, Nain, felly mae'n rhaid bod PLANT wedi dod i fyw i Tŷ Mawr.'

'Ew!' meddai Nain gan edrych ar Locsyn. (Ci Nain oedd Locsyn go iawn.) 'Tydy o'n dditectif da, Locsyn?'

'Iap!' meddai Locsyn. Roedd y ci'n dditectif da hefyd. Roedd e wedi cyfarth a chyfarth i dynnu sylw Nain y prynhawn hwnnw pan wibiodd lorri fawr ddu heibio i'r tŷ a diflannu drwy gât Tŷ Mawr. Roedd Tŷ Mawr wedi bod yn wag ers tri mis, felly peth anarferol iawn oedd gweld lorri'n mynd lan y lôn. Roedd Locsyn wedi cyfarth cymaint, roedd ei wddw'n sych gorcyn.

Ar ôl i'r lorri fynd o'r golwg, roedd Nain wedi rhuthro i'r gegin i nôl dŵr iddo ac i wneud cacen lemwn i'r bobl newydd. Dangosodd hi'r gacen i Tomos.

'Mae'n bwysig ein bod ni'n rhoi croeso iddyn nhw,' meddai Nain. 'Mi gei di fynd â'r deisen i Tŷ Mawr ar ôl te. Iawn?'

'Iawn,' meddai Tomos. 'Ydych chi'n gwybod pwy yw'r bobl newydd, Nain?'

Agorodd Nain ei llygaid led y pen ac edrych yn freuddwydiol. Roedd pawb ar stad Bryn-crin bron â marw eisiau gwybod pwy oedd y bobl newydd oedd wedi dod i fyw i'r tŷ llwyd yn y coed, ond hyd yn hyn, yn rhyfedd iawn, doedd neb yn gwybod dim.

'Dos di i'w cyfarfod nhw a thy'd 'nôl â'r hanes i mi,' meddai Nain.

'Pam na ddewch chi gyda fi er mwyn i chi gael cwrdd â nhw hefyd?' meddai Tomos yn garedig.

'O, na!' meddai Nain gyda winc fawr. 'Dwi'n rhy brysur. Mae gen i bethau i'w paratoi. Mi gaiff Locsyn fynd efo chdi.'

Gwenodd Tomos. Roedd e'n gwybod yn union beth oedd y 'pethau'. Un dda am drefnu parti pen-blwydd oedd Nain. Roedd hi wrth ei bodd yn plesio Tomos, a doedd dim yn ormod o drafferth iddi. Yn ogystal â pharatoi bwyd i'r parti, roedd hi hefyd wedi prynu pecyn o falŵns i addurno'r tŷ.

Felly, ddeg munud yn ddiweddarach ar ôl gweiddi 'Hwyl fawr, Nain!' dyma Tomos yn loncian drwy gât Tŷ Mawr gyda'r gacen lemwn mewn bag plastig o dan ei fraich.

Yn ystod y deg munud hwnnw roedd Tomos wedi tynnu'i ddillad ysgol, wedi gwisgo'i jîns a'i siaced ledr arbennig ac wedi rhoi jèl yn ei wallt. Gwallt du cyrliog oedd gan Tomos. Gyda'r jèl roedd e'n gobeithio gwneud i'w wallt orwedd 'nôl yn slic ar ei ben. Ond roedd y gwynt yn chwythu yn ei gefn a'r cyrls yn mynnu codi a sefyll fel rhes o farciau cwestiwn uwchben ei dalcen! Yn ei ymyl roedd Locsyn yn gwisgo'i gôt ci defaid arferol gyda'r smotiau mawr gwyn ar ei war.

Tan dri mis yn ôl roedd hen wraig o'r enw Mrs Trethowan yn byw yn Tŷ Mawr. Roedd hi'n ffrind mawr i Tomos a Locsyn ac roedd y ddau'n siomedig iawn pan ddwedodd hi ei bod am symud i fyw i Awstralia at ei merch.

'Peidiwch chi â phoeni nawr, Tomos a Locsyn,' meddai Mrs Trethowan wrthyn nhw gyda winc. 'Bydd teulu newydd gyda dau o blant yn symud i'r tŷ cyn bo hir. Fe gewch chi ddigon o hwyl a sbri, dwi'n siŵr.'

Cofiodd Tomos eiriau Mrs Trethowan – a'r winc – a lledodd gwên fawr hapus dros ei wyneb. Dyna braf fyddai cael plant yn byw yn ei ymyl! A dyna braf fyddai cael chwarae unwaith eto yng ngardd enfawr Tŷ Mawr! Rhedodd yn gynt ac yn gynt nes rowndio'r tro a dod i olwg y tŷ.

'Y?' Arafodd Tomos mewn syndod a diflannodd y wên.

'Rrrr?' chwyrnodd Locsyn.

Ble oedd y bobl newydd? Edrychai Tŷ Mawr yn unig ac oer. Tŷ sgwâr, llwyd oedd e gyda phum ffenest ar y llofft a ffenestri mawr bob ochr i'r drws ffrynt. Er ei bod hi'n brynhawn o hydref ac yn prysur dywyllu, doedd dim golau yn unman. Doedd dim sŵn chwaith – a phan aeth Tomos i sbecian drwy un o'r ffenestri, doedd e'n synnu dim i weld fod y stafell y tu draw yn hollol wag.

'Dwi wedi gwneud camgymeriad, Locsyn,' meddai'n siomedig. 'Does neb wedi symud i mewn wedi'r cyfan.'

'Rrrrrr,' meddai Locsyn. Doedd Ditectif Tomos DDIM wedi gwneud camgymeriad. Roedd Locsyn yn cofio gweld y lorri fawr ddu yn gyrru tuag at Tŷ Mawr. Doedd e ddim yn cofio'i gweld hi'n dod yn ôl. Felly roedd e'n *siŵr* bod rhywun yn y tŷ a, heb aros am Tomos, dyma fe'n rhuthro at y drws ffrynt.

Yr eiliad nesaf ffrwydrodd y sŵn rhyfeddaf:

**BANG \*\*\*\*!**
**WHIIIIW!**
**'I-IP I-IP I-IP!'**
**'ATISW!'**
**SBLAT!**

Roedd rhywbeth wedi tanio o dan draed Locsyn . . .

cwmwl o fwg coch wedi codi . . .

Locsyn wedi dianc gan sgrechian . . .

Tomos wedi tisian . . .

a'r gacen lemwn wedi sblatian ar y llawr!

Allai Tomos ddim credu'r peth. Roedd rhywun wedi gosod trap o flaen drws Tŷ Mawr!

Syllodd yn gegagored ar y drws ffrynt gwyrdd gan ddisgwyl gweld plant drygionus yn rhedeg allan dan ganu, 'Na na na na na!' Ond ddaeth 'na neb. Sleifiodd Locsyn yn ôl ato a'i gynffon rhwng ei goesau.

'Dere di, Locsyn bach,' meddai Tomos gan anwylo pen ei ffrind.

O gyfeiriad talcen y tŷ daeth sŵn cerrig mân

yn crensian. Roedd pâr o draed mewn welingtons maint 4 yn cripian rownd y gornel. Cadwodd Tomos ei lygaid arnyn nhw a dal i siarad yr un pryd.

'Wel, Locsyn,' ochneidiodd. 'Does dim croeso i ni yma. Gwell i ni fynd adre a mynd â'n cacen gyda ni.'

'Cacen?' meddai llais main.

Cododd Tomos ei ben yn araf, araf gan ddisgwyl gweld plentyn. Er syndod iddo, hen wraig fach oedd yno. Edrychai ei gwallt fel gwlân du â llwch drosto i gyd. Roedd ei dannedd 'run lliw â'r hen sach am ei hysgwyddau, ei chroen yn fawlyd, ei llygaid o'r golwg y tu ôl i'w sbectol ddu ac roedd ei sgert streips coch a du yn llusgo'r llawr y tu ôl i'w welingtons.

'Cacen?' crawciodd yr hen wraig eto.

Cododd Tomos y bag plastig o'r llawr.

'Briwsion cacen,' meddai'n drist. 'Nain wnaeth y gacen i chi, ond fe gwympodd hi i'r llawr pan glywais i'r bang. Dyw hi'n dda i ddim nawr. Fe ro i hi i'r adar.'

'Na!' Neidiodd yr hen wraig a chipio'r bag o'i law. 'Cacen!' crawciodd gan chwifio'r bag i gyfeiriad y tŷ.

Daeth hen ffermwr bach i'r golwg rownd y gornel. Roedd e'n llai na Tomos, ond roedd ei fwstás slic du mor llydan â bachyn côt ac yn ymestyn bob ochr i'r cap enfawr oedd yn cuddio'i glustiau. Roedd ei lygaid bron o'r golwg a'i ddwylo'n brysur yn clymu cortyn glas am ei ganol i gadw'i drywsus i fyny a'i gôt ar gau.

'Diolch i chi, 'ngwas i,' meddai'r hen ŵr mewn llais crynedig. 'A phwy ydach chi, deudwch?'

'Un o'ch cymdogion chi,' meddai Tomos. 'Dwi'n byw drws nesa yn Rhif 10, Stad Bryncrin.'

'O, bechod!' meddai'r hen wraig. 'A ninna wedi'ch dychryn chi efo'r gwn brain yma. Yr adeg yma o'r flwyddyn mae'r ŵyn bach yn cael eu geni yn y cae a'r hen frain yn dŵad ac yn pigo'u llygid bach nhw, wyddoch chi. Dyna pam rydan ni wedi cuddio weiran fan hyn o dan y dail a gwneud y bang anferthol. Mae'r bang yn dychryn y brain. Dallt?'

Doedd Tomos ddim yn deall. Allai e ddim gweld dafad yn unman er bod rhywbeth wedi torri'r glaswellt ar y lawnt fach gron o flaen y tŷ.

'Oes gyda chi ddefaid 'te?' gofynnodd.

'Na, does gyda ni ddim defaid nawr, ond 'dan

ni wedi arfar byw ar fferm ar Ynys Môn, neno'r tad!' meddai'r hen ŵr. 'Hen arfar ydy o, wsti.'

'Wel, croeso i chi'ch dau i'ch cartref newydd,' meddai Tomos.

'O, am hogyn clên!' meddai'r hen wraig gan wenu nes bod ei dannedd melyn bron â chwympo o'i cheg. 'Wel, hwyl fawr i chdi, 'ngwas i! Rhaid i fi a 'ngŵr fynd i roi'r dodrefn yn eu lle rŵan. Hwyl fawr!' Chwifiodd ei llaw i yrru Tomos i ffwrdd cyn iddo gael cyfle i gynnig help.

'Hwyl fawr,' meddai Tomos a dechrau troi am adre.

Cyn gynted ag iddo droi, clywodd sŵn sibrwd a phan edrychodd yn ôl dros ei ysgwydd, roedd yr hen wraig yn pwyntio'n gyffrous at y patrwm ar gefn ei siaced.

'Fy chwaer, Mali, wnaeth y siaced i fi,' meddai Tomos yn gwrtais. 'Mae hi'n fyfyriwr mewn coleg ffasiwn, yn dysgu sut i wneud dillad.'

'Pam mae llun chwyddwydr ar y cefn?' gofynnodd yr hen ŵr.

'Achos dwi'n dipyn o dditectif,' meddai Tomos gan godi'i law. 'Hwyl fawr!' galwodd unwaith eto ac i ffwrdd ag e i lawr y lôn gan chwibanu'n hapus.

Ond doedd Locsyn ddim yn hapus o gwbl. Doedd Locsyn ddim wedi teimlo'n hapus ers y BANG enfawr. Pan oedd sŵn mawr ar Noson Tân Gwyllt, roedd Nain bob amser yn ei gadw yn y tŷ. Roedd e eisiau mynd adre ati nawr, ond pan blymiodd Ditectif Tomos i'r coed yn ymyl y lôn, dilynodd Locsyn yn ffyddlon. Sleifiodd y ddau o goeden i goeden nes dod yn ôl i olwg Tŷ Mawr ac yna swatio y tu ôl i foncyff a sbecian ar yr hen ffermwyr o Fôn. Roedd y ddau ohonyn nhw'n eistedd ar garreg y drws yn bwyta dyrneidiau o'r gacen lemwn fel petaen nhw ar lwgu.

'Ffermwyr, wir!' meddai Tomos a'i lygaid yn disgleirio. 'Dyw'r rheina ddim yn ffermwyr. Sylwaist ti ar y cliw, Locsyn?'

'Iap?' meddai Locsyn.

Pa gliw?

# Pennod 2

'Pryd mae ŵyn bach yn cael eu geni yn y caeau fel arfer, Locsyn?' gofynnodd Tomos, ar ôl cyrraedd adre.

Udodd Locsyn yn siomedig. Doedd e ddim yn gwybod. Er ei fod e'n dri-chwarter ci defaid, doedd e erioed wedi byw ar fferm.

'Yn y gwanwyn fel arfer,' eglurodd Tomos yn garedig. 'NID yn yr hydref. Dwedodd yr hen wraig eu bod nhw'n cael eu geni nawr, felly doedd hi a'i gŵr ddim yn ffermwyr go iawn, Locs.'

Cododd Locsyn ei glustiau mewn sioc.

'A dwi DDIM yn meddwl eu bod nhw'n dod o Ynys Môn chwaith. Roedd rhywbeth o'i le ar eu hacen nhw.'

Cododd Locsyn ei glustiau eto. Roedd e wedi byw ar Ynys Môn gyda Nain, ond ci bach oedd e bryd hynny.

'Ar ben hynny,' meddai Tomos, 'dyw hen bobl ddim yn eistedd ar risiau i fwyta cacen, felly dwi'n siŵr mai plant oedden nhw, Locsyn.'

Llygadodd Locsyn y potyn jèl. Roedd e'n cael un sioc ar ôl y llall. Tybed a allai e roi jèl ar ei glustiau i'w cadw nhw yn yr awyr?

Yr eiliad nesaf roedd ei glustiau bron â neidio'n grwn o'i ben. Roedd Tomos wedi troi at y ffenest ac yn syllu i gyfeiriad Tŷ Mawr. Yn yr hydref fel arfer byddai goleuadau'n wincian drwy frigau noeth y coed, ond heno roedd y tŷ'n hollol dywyll a'r nos yn cau amdano.

'Mae rhywbeth o'i le yn Tŷ Mawr,' meddai Tomos yn dawel. 'Pam mae'r tŷ'n wag? Pam mae'r plant yn esgus bod yn ffermwyr, a ble mae eu rhieni? Dwi'n meddwl y dylet ti a fi fynd i chwilio am atebion ar ôl swper. Wyt ti'n gêm, Locs?'

'Rrrr . . . Iap!' atebodd Locsyn yn ddewr.

Roedd Nain hefyd wedi sylwi ar dywyllwch Tŷ Mawr. Pan aeth Tomos a Locsyn i lawr i swper, roedd hi wrthi'n brwsio carreg y drws.

'Mae hi'n dawel iawn yn Tŷ Mawr,' meddai. 'Dim llygedyn o olau a dim sôn am enaid byw. Ella picia i draw i weld ydy popeth yn iawn.'

'O na, arhoswch tan fory, Nain,' meddai Tomos yn frysiog. 'Mae pobl Tŷ Mawr wedi mynd i'r gwely'n gynnar, siŵr o fod.' Doedd e ddim wedi sôn gair wrth Nain am y BANG anferth nac am yr ŵyn bach chwaith. Doedd e ddim eisiau ei dychryn hi, neu fe fyddai hi'n ei gadw yn y tŷ.

'Y petha bach!' meddai Nain, gan dynnu dyrnaid o laswellt mân oddi ar y brwsh a'i daflu i'r ardd. 'Hen fusnas blinedig ydy symud tŷ. Wyt ti'n cofio dŵad hefo fi bob cam o Ynys Môn, Locsyn? Wyt ti'n cofio, 'ngwas i?'

Ysgydwodd Locsyn ei gynffon a gwthio'i drwyn i law Nain. Eisteddodd ar ei thraed drwy gydol amser swper i gadw cwmni iddi. Yn ddistaw bach, roedd Nain yn eitha balch pan godod Tomos o'r bwrdd o'r diwedd.

'Dwi'n mynd â Locsyn am dro bach, Nain,' meddai Tomos. 'Fyddwn ni ddim yn hir.'

'Iawn. Cym'wch ofal, chi'ch dau,' meddai

Nain yn siriol, gan symud bysedd ei thraed a oedd yn binnau bach i gyd ar ôl i Locsyn eistedd arnyn nhw.

Brysiodd Tomos i'r llofft i nôl ei siaced dditectif. Roedd e wrth ei fodd gyda'r siaced, ond nid dyna'r unig ddilledyn roedd Mali wedi'i wneud iddo. Yn gorwedd yng ngwaelod cwpwrdd Tomos roedd sarong ddu. Math o sgert oedd sarong. Roedd David Beckham wedi gwisgo un unwaith, meddai Mali. Dim ots gan Tomos os oedd David Beckham wedi gwisgo cant ohonyn nhw, doedd e ddim yn mynd i wisgo un byth, byth, BYTHOEDD! Na, doedd e ddim yn mynd i wisgo'r sarong. Roedd e wedi'i rhoi hi'n anrheg i Locsyn y ci.

Roedd Locsyn yn gi ditectif da iawn – neb gwell – heblaw am un peth. Roedd smotiau mawr gwyn ar ei gôt, ac yn y nos roedd y smotiau gwyn yn nofio drwy'r tywyllwch fel rhes o *spotlights*. Doedd dim ots gan Locsyn wisgo sarong, felly clymodd Tomos hi amdano i guddio'r blew gwyn ac allan â'r ddau.

Roedd Mrs Williams, Rhif 9, yn rhoi'r car yn y garej. Sylwodd hi ddim ar y ddau gysgod du yn symud yn llechwraidd i gyfeiriad gât Tŷ Mawr.

Camodd Tomos i'r coed yr ochr draw i'r gât a sefyll yn stond. Dyma'r tro cyntaf erioed iddo wneud gwaith ditectif go iawn. Y tu ôl iddo roedd goleuadau cynnes Stad Bryn-crin. O'i flaen disgynnai pelydrau oer y lleuad ar ffenestri gwag Tŷ Mawr.

'Falle bod y plant yng nghefn y tŷ,' sibrydodd Tomos. 'Fe awn ni i'r cefn i gael sbec. Barod, Locsyn? Locsyn?!'

Llamodd calon y ditectif mewn sioc. Am foment meddyliodd fod Locsyn wedi cofio am y BANG enfawr ac wedi rhedeg am adre! Ond yna sylwodd ar bedair pawen wen a theimlo tafod cynnes yn llyfu ei law.

'Iawn, Locsyn?' meddai'n wichlyd.

Ysgydwodd Locsyn ei gynffon yn galonnog a fflapiodd y sarong. Doedd y sarong ddim yn cyrraedd i'r llawr, felly roedd ei bawennau gwyn yn y golwg.

'Mlaen â ni 'te,' sibrydodd Tomos.

Drwy lwc roedd cylch mawr o goed o gwmpas gardd Tŷ Mawr. Er bod y lleuad yn llawn a'i golau'n llifo drwy'r canghennau, roedd hi'n ddigon hawdd i Tomos a Locsyn gadw yn y cysgodion. Roedd y gwynt yn chwythu drwy'r brigau ac yn boddi sŵn eu traed wrth iddyn nhw sleifio o goeden i goeden nes cyrraedd talcen y tŷ.

Roedd ffenestri talcen y tŷ mor dywyll â'r ffenestri ffrynt. Ond beth os oedd y plant rhyfedd yn cuddio'n y tywyllwch ac yn edrych allan? Swatiodd Tomos y tu ôl i goeden a syllu i'r awyr.

'Cyn gynted ag y bydd cwmwl yn chwythu dros y lleuad, fe redwn ni at yr iard gefn, Locsyn,' sibrydodd yng nghlust y ci. 'Ond paid â mynd yn rhy agos at y tŷ rhag ofn i ni gael ein dal mewn trap eto.'

'Rrrr,' meddai Locsyn yn dawel.

Llithrodd cwmwl mawr o gyfeiriad Bryn-crin. Dechreuodd lyncu'r glaswellt hir, yna'r lawnt ac yn olaf y tŷ ei hun. Cyn gynted ag yr aeth pobman yn ddu, estynnodd Tomos ei law â chyffwrdd â phen Locsyn.

'Mlaen â ni!'

I ffwrdd â Locsyn ar unwaith gan gadw gam neu ddau o flaen Tomos. Edrychai ei bawennau fel fflamau bach gwelw yn dawnsio dros y glaswellt. Dilynodd Tomos nhw'n ofalus. Roedd Locsyn yn well o lawer nag e am ffeindio'i ffordd drwy'r nos ddu.

Cripiodd y ddau ar hyd talcen y tŷ ac yna i'r iard. Yno gallai Tomos deimlo wal lwyd Tŷ Mawr yn codi uwch ei ben. Doedd dim golau yn unman a dim sŵn heblaw sŵn y gwynt. Am le brawychus! Dyna falch oedd Tomos fod ganddo Locsyn yn gwmni.

Ac yna rhedodd ias i lawr ei gefn.

Roedd y pawennau gwyn wedi diflannu o flaen ei lygaid! Diflannu ar ganol yr iard mor sydyn â fflamau'n diffodd!

Ble yn y byd oedd Locsyn?

Plymiodd Tomos yn ei flaen drwy'r tywyllwch a'r eiliad nesaf, gyda CHLEC! fetelaidd, roedd e'n disgyn yn ei hyd ar lawr.

## Pennod 3

Deallodd Tomos ar unwaith beth oedd wedi digwydd. Roedd e wedi cerdded – slap! – yn syth i mewn i lorri ddu a oedd wedi'i pharcio ar yr iard. Doedd dim modd ei gweld yn y tywyllwch. Ond roedd Locsyn wedi cripian *o dan* y lorri. Dyna sut oedd ei bawennau wedi diflannu mor sydyn.

Cyn iddo gael cyfle i godi ar ei draed, roedd Locsyn wedi rhuthro'n ôl ac yn llyfu ei wyneb yn wyllt. Wrth i'r tafod pinc symud fel mop ar draws ei fochau, clywodd Tomos y lorri'n gwichian a gwelodd ddau gysgod yn neidio dros ei ben. Ar yr un pryd disgynnodd bwndel du o'r awyr a glanio – sglwmp! – ar ei wyneb.

Neidiodd Tomos ar ei draed a chydio'n y bwndel. Gwlân oedd e! Gwlân ar ffurf cap. Wrth i'r lleuad ddod i'r golwg rhwng y cymylau, doedd e'n synnu dim i weld y 'ffermwyr o Fôn' yn dianc am eu bywydau dros y glaswellt.

'Ar eu hôl nhw, Locsyn!' gwaeddodd.

'Iap!' meddai Locsyn yn falch. Os oedd Tomos eisiau bod yn dditectif, roedd Locsyn eisiau bod yn gi defaid. Dyma'i gyfle. Dim ots bod y defaid yn rhai od iawn ac yn rhedeg ar ddwy goes – aeth Locsyn ar eu hôl fel saeth, a'i sarong yn chwifio fel adenydd yn yr awyr. Erbyn i Tomos hercian rownd cornel y tŷ, roedd y ddau ffoadur yn crynu yn erbyn coeden a Locsyn yn sefyll o'u blaen yn wên o glust i glust.

'Achub ni rhag y bwystfil!' sgrechiodd y ddau, pan welson nhw Tomos.

'Iap!' meddai Locsyn ar eu traws.

'Mi gyfarthodd y bwystfil!' bloeddiodd yr hen ŵr mewn sioc.

'Ci ydy o!' meddai'r hen wraig.

'Ond mae gynno fo adenydd mawr du!' llefodd yr hen ŵr. 'Sgin ci ddim adenydd!'

'Does gan Locsyn ddim adenydd chwaith,' eglurodd Tomos. 'Mae e'n gwisgo sarong.'

'Sarong? SARONG?!' Yn sydyn roedd yr hen wraig o'i cho. 'Ti sy 'na, dditectif?' rhuodd ar Tomos. 'Be wyt ti'n wneud fan hyn?'

'Dwi wedi dod â'ch gwallt chi'n ôl,' meddai Tomos yn gwrtais. Estynnodd y wìg iddi. 'Fe ddisgynnodd hwn ar fy mhen i pan neidioch chi allan o'r lorri bum munud yn ôl.'

Cipiodd yr hen wraig y gwallt ffug o'i law heb air o ddiolch.

'Dos i ffwrdd!' meddai mewn llais uchel, main. 'Does gen ti ddim hawl i gripian rownd ein cartref ni, ein dychryn ni a gyrru dy gi-mewn-sarong ar ein holau. Rwyt ti'n tresmasu.'

'Wyt, neno'r tad, 'rargian fawr!' meddai'r hen ŵr yn ei hymyl. 'Duwadd annwl, ni sy biau Tŷ Mawr.'

'A phwy ydych chi?' gofynnodd Tomos mewn llais ditectif. Er syndod iddo, tawelodd yr hen ŵr ac ateb ar unwaith.

'Morgan ydw i,' meddai.

'A Magi Ann ydw i,' meddai'r hen wraig.

'A'ch cyfenw?' gofynnodd Tomos.

'Ifans,' meddai'r hen ŵr.

'Jones,' meddai'r hen wraig.

'Ifans-Jones,' meddai'r ddau gyda'i gilydd.

'Ac o ble ydych chi'n dod, Mr a Mrs Ifans-Jones?' holodd Tomos.

'Ewadd, o Lanfairpwllcyrngwyllt,' meddai'r hen ŵr.

'O'r lle â'r enw hir,' meddai'r hen wraig.

'O Lanfairpwllgwyngyllgogerychwyrndrobwll-llandysiliogogogoch felly?' meddai Tomos. 'Wel, ardderchog! Rhaid i chi ddod i gwrdd â Nain. Mae hithau hefyd yn dod o Lanfairpwll.'

Tynnodd Tomos dortsh bach o'i boced a disgleirio'r golau main ar Mrs Ifans-Jones. Er iddi guddio'i hwyneb yn syth, allai hi ddim cuddio'i chnwd o wallt coch pigog. Doedd dim sach am ei hysgwyddau chwaith, dim ond crys-T du. O'r tywyllwch yn ei hymyl daeth sŵn bol Mr Ifans-Jones yn rwmblan.

'Dy nain wnaeth y gacen hyfryd 'na, ife?' meddai'r hen ŵr gan rwbio'i fol.

'Y deisen,' cywirodd Tomos. 'Mae Nain yn ei galw hi'n deisen.'

'Ewadd, mi oedd hi'n flasus,' meddai Mr Ifans-Jones gydag ochenaid fawr.

Yn sydyn dyma'r tortsh yn cael ei gipio o law Tomos a'r golau'n disgleirio i'w lygaid.

'Ocê!' meddai llais chwyrn Mrs Ifans-Jones.

'Dyma gwestiwn i ti. Pwy yn union wyt ti? Beth yw dy enw di?'

Gwenodd Tomos.

'Ateb, y twpsyn, neu fe drown ni ti'n gwningen!'

'Waw!' meddai Tomos.

'Ateb!'

'Jaci Soch,' meddai Tomos gan ddal i wenu.

'Enw mochyn yw Jaci Soch!' meddai Mr Ifans-Jones.

'Sori!' meddai Tomos. 'Allwn i ddim meddwl am enw cwningen.' Cipiodd y tortsh yn ôl a throi ar ei sawdl.

'I ble wyt ti'n mynd?' cyfarthodd Mrs Ifans-Jones.

'Adre,' meddai Tomos. 'Nos da.'

'Nos da!' meddai Mrs Ifans-Jones. 'A phaid â galw eto.'

'Ewadd!' ochneidiodd Mr Ifans-Jones yn drist.

Chwibanodd Tomos ar Locsyn. Doedd Locsyn ddim yn deall yn union beth oedd yn digwydd. Pam oedd Mr a Mrs Ifans-Jones yn cuddio'n y lorri? Pam nad oedd Tomos wedi eu harestio? Na, doedd Locsyn ddim yn deall, ond roedd e wedi mwynhau'r gwaith ditectif. Cerddodd yn bwysig yn ymyl ei ffrind a'i sarong yn llusgo'r llawr.

Wrth gât Tŷ Mawr stopiodd Locsyn ac edrych yn ôl. Roedd Mr a Mrs Ifans-Jones yn eu dilyn o bell ac roedd golwg go slei ar y ddau. Cyfarthodd Locsyn i dynnu sylw Tomos, ond wnaeth Tomos ddim stopio nac edrych, dim ond cerdded yn ei flaen i'r tŷ.

Yn y tŷ datododd Tomos y sarong a'i gwthio o dan ei siaced cyn mynd at Nain, oedd yn y stydi'n eistedd wrth y cyfrifiadur. Roedd hi'n olrhain hanes ei theulu ar Ynys Môn.

'Nain,' meddai Tomos, 'oeddech chi'n digwydd 'nabod rhywun o'r enw Morgan Ifans-Jones o Lanfairpwll?'

'Mmmm . . . na,' meddai Nain yn feddylgar. 'Ond mi roedd yna Morgan Ifans. Dwi'n cofio'i weld o mewn cyngerdd. Ew, am hogyn golygus, un tal, main, mewn siwt ddu. Am hwnnw wyt ti'n holi?'

'Na,' meddai Tomos.

'Gwneud gwaith cartra wyt ti?'

Nodiodd Tomos. Roedd e'n waith cartref o ryw fath – gwaith cartref ditectif. Ond roedd ganddo waith cartref go iawn i'w wneud hefyd.

'Da 'ngwas i,' meddai Nain. 'Mi fydda i'n picio adra ryw ben i gau'r llenni. Fydda i ddim chwinc.'

'Peidiwch â phoeni, Nain. Bydda i a Locsyn yn iawn.'

'Byddwch 'ntad!' meddai Nain.

Gwenodd Tomos a mynd i'r llofft gyda Locsyn yn ei ddilyn. Roedd stafell wely Tomos yn wynebu gât Tŷ Mawr ac roedd ei ddesg o dan y ffenest. Gwasgodd Tomos swits y lamp fach ac eisteddodd wrth y ddesg heb gau'r llenni. Plygodd ei ben dros ei lyfr daearyddiaeth.

Yng ngardd Tŷ Mawr roedd dau berson yn syllu ar Tomos. Wydden nhw ddim fod Tomos hefyd yn syllu arnyn nhw. Yn sownd wrth lamp Tomos roedd perisgop. Wrth syllu i'r drych ar waelod y perisgop gallai Tomos weld yr olygfa tu allan. Roedd e wedi symud y lamp ford yn ofalus fel bod y perisgop yn pwyntio tuag at ardd Tŷ Mawr.

Gwyliodd e Mr a Mrs Ifans-Jones yn symud yn nes ac yn nes at y gât. Roedd Mrs Ifans-Jones wedi rhoi'r gwallt du'n ôl ar ei phen ac roedd hi'n cydio'n dynn yn llaw Mr Ifans-Jones. Roedd hwnnw'n ei chael hi'n anodd i gerdded gan fod ei gap yn cuddio'i lygaid a'i drywsus mawr yn hongian. Pan agorodd Nain ddrws y ffrynt, neidiodd y ddau'n ôl i'r cysgodion a disgynnodd Mr Ifans-Jones ar ei eistedd ar y glaswellt hir.

Brysiodd Nain ar hyd llwybr yr ardd ac adre â hi i'w byngalo drws nesa. Cyn gynted ag i'r drws ffrynt gau'n glep ar ei hôl, dyma Mr a Mrs Ifans-Jones yn rhuthro drwy gât Tŷ Mawr ac yn syth i ardd Tomos. Safodd y ddau o dan ei ffenest gan chwifio'u breichiau fel melinau gwynt.

Chymerodd Tomos ddim sylw, dim ond tynnu llun gwely afon yn ei lyfr daearyddiaeth.

Trawodd carreg fach yn erbyn y ffenest. Ar unwaith cyfarthodd Locsyn, neidio i fyny a rhoi ei ddwy bawen flaen ar y sil. Daliodd ati i gyfarth nes i Tomos godi ei ben.

'Wel, wel,' meddai Tomos gan bwyso dros ei ddesg ac agor y ffenest. 'Mr a Mrs Ifans-Jones! Beth alla i wneud i chi?'

Pwyntiodd Mrs Ifans-Jones at y drws ffrynt ac yn hollol ddigywilydd dyma hi a Mr Ifans-Jones yn rhuthro drwyddo, yn carlamu i fyny'r grisiau ac yn hyrddio'u hunain ar y llawr y tu ôl i Tomos.

'Locsyn,' meddai Tomos. 'Glywaist ti rywbeth? Oes rhywun yn tresmasu yn fy stafell i?'

'Iap!' meddai Locsyn.

'Cau'r llenni rhag ofn i rywun ein gweld ni! A phaid â thrio bod yn glyfar!' chwyrnodd Mrs Ifans-Jones ar ei draws.

Caeodd Tomos y llenni a throi i edrych ar y ddau oedd yn gorwedd ar y llawr wrth ei draed. Roedd gwallt Mrs Ifans-Jones wedi disgyn – eto! – ac yn gorwedd o dan gap a mwstás Mr Ifans-Jones. Heb y gwallt ffug a heb y cap a'r mwstás edrychai Mr a Mrs Ifans-Jones tua'r un oed ag e. Merch fain fel milgi gyda gwallt coch pigog oedd Mrs Ifans-Jones. Roedd gan Mr Ifans-Jones wallt melyn ac wyneb crwn pinc gyda dau farcyn coch lle roedd y mwstás wedi dod i ffwrdd. Gan fod y cortyn glas am ei ganol wedi diflannu, roedd ei gôt yn hongian ar agor ac wyneb Bart Simpson yn sbecian allan.

Caeodd Mr Ifans-Jones ei gôt yn sydyn.

'Sdim rhaid i ti gau dy gôt,' meddai Mrs Ifans-Jones gan dynnu'i dannedd melyn o'i cheg a datgelu dwy res o ddannedd gwyn, iach. 'Mae e'n gwybod nad ffermwyr ydan ni. On'd wyt ti?' Cododd ar ei thraed, tynnu ei sbectol ddu a syllu'n hy i lygaid Tomos.

Nodiodd Tomos.

'Dydych chi ddim yn ffermwyr, dydych chi ddim yn hen, dydych chi ddim yn dod o'r gogledd, ac nid Morgan a Magi Ann Ifans-Jones yw eich enwau,' meddai gyda gwên.

'O, cly-far!' Tynnodd y ferch walltgoch wyneb dwl a rhoi proc i Tomos yn ei ysgwydd. 'Rŵan, Mr Ditectif Soch,' meddai, 'mae angen help ditectif ar fy mrawd a fi.'

'Dwi'n synnu dim,' meddai Tomos, gan gymryd cam yn ôl. 'Ers pryd ydych chi'ch dau wedi bod yn sgwatio mewn lorri ar dir Tŷ Mawr?'

'Sgwatio?' ffrwydrodd y ferch. 'Sgwatio, wir!'

'Ni sy piau Tŷ Mawr a'r lorri!' protestiodd ei brawd gan gydio'n dynn yn ei drywsus.

'A phwy ydych chi go iawn?' gofynnodd Tomos yn sych.

'Abram yw e a Barbara ydw i,' meddai'r ferch, 'ond Ab a Babs mae pawb yn ein galw ni. Ocê?'

Nodiodd Tomos. 'A'ch cyfenw?'

'Wel . . .' Daeth golwg fach slei i wyneb Babs.

'Y gwir!' rhybuddiodd Tomos.

'Cadabra,' atebodd Babs ar unwaith.

'Cadabra?!' Gadawodd Tomos i wên wawdlyd lithro ar draws ei wyneb.

'Cadabra yw ein henw ni!' mynnodd Ab gan godi ar ei draed.

'Abram Cadabra a Barbara Cadabra!' Ysgydwodd Tomos ei ben. 'Abram a Barbara Cadabra!' chwarddodd. ' Ydych chi'n disgwyl i fi gredu hynna?'

'Mae'n wir!' protestiodd Babs.

'Ydy e?' meddai Tomos gan wincio ar Locsyn. 'Oes 'na unrhyw reswm pam y dylen ni eu credu nhw, Locs?'

'Rrrrr,' meddai Locsyn – a chrafu'i glust.

# *Pennod 4*

'Wel?' meddai Babs o'r diwedd a'i llygaid yn gwibio o un i'r llall. 'Ydy'r ci'n mynd i ateb?'

'Wyt ti, Locsyn?' gofynnodd Tomos.

'Iap?' meddai Locsyn. Beth oedd y cwestiwn eto?

'Oes 'na unrhyw reswm pam y dylen ni gredu mai Cadabra yw eu cyfenw nhw?'

Gwnaeth Locsyn sŵn bach nerfus yn ei wddw.

Nodiodd Tomos.

'Mae Locsyn yn dweud,' meddai, '*fod* yna reswm.'

'Beth?' meddai Ab a Babs ar un gwynt.

'Pan oedden ni yn y coed,' meddai Tomos, 'fe

wnest ti, Babs, fy mygwth i. Sut? Drwy ddweud:
"Fe wna i dy droi di'n gwningen." Waw! Troi'n
gwningen! Am beth brawychus! Pwy fyddai'n
meddwl dweud y fath beth? Pwy ond rhywun
sy'n arfer gwneud triciau ar lwyfan? Mae Locsyn
yn meddwl mai consuriwr yw eich tad a dyna
pam mai Cadabra yw eich enw chi.'

'Iap!' cyfarthodd Locsyn yn hapus. Yn hollol!

'Ydy e'n iawn?' gofynnodd Tomos.

'Ydy,' meddai Ab a Babs. Lledodd gwên hapus
dros wynebau'r ddau.

'Consurwyr yw Mam *a* Dad, fel mae'n
digwydd,' meddai Babs. 'Ifans oedd Dad, a Jones
oedd Mam, ond fe newidion nhw'u henw i
Cadabra. Da iawn, Locsyn. Rwyt ti'n dditectif da
a dwi'n falch dy fod ti'n ein credu ni. Beth
amdanat ti, Jaci Soch?'

'Ydw, dwi'n barod i gredu,' meddai Tomos. 'A
Tomos yw'r enw. Tomos Aled Beynon. Nawr
dwedwch wrtha i pam mae angen ditectif arnoch
chi.'

'Achos . . .,' ochneidiodd Babs gan eistedd ar
ymyl ei ddesg. 'Achos, Mr Ditectif Tomos Aled
Beynon, rydyn ni wedi colli Nani.'

'Eich mam-gu?' meddai Tomos yn syn.

'Nage, twp!' chwarddodd Ab. 'Nani! Y person sy'n edrych ar ein holau ni.'

Cododd Tomos ei aeliau. Roedd e'n gwybod bod gan rai plant bach nanis, ond doedd Ab a Babs ddim yn fach.

'Faint yw eich oed chi?' gofynnodd.

'Wyt ti'n trio dweud ein bod ni'n rhy hen i gael nani?' gofynnodd Babs fel saeth.

'Wel . . .' Cododd Tomos ei ysgwyddau.

'Dwi'n cytuno â ti, ta beth!' Chwarddodd Babs yn llon. 'Dw i'n ddeuddeg ac mae Ab yn ddeg.'

'Ond mae Mam a Dad yn dweud bod raid i ni gael nani,' ochneidiodd Ab, 'achos maen nhw'n gorfod gweithio'n hwyr yn y theatr.'

'Ydyn nhw yn y theatr heno?' gofynnodd Tomos.

'Na, maen nhw yng Nghaerdydd,' meddai Babs gan wneud ei hun yn gyffyrddus. 'Gad i fi ddweud y stori wrthot ti o'r dechrau.'

'AROS!' Tynnodd Tomos ei wynt. Roedd Babs newydd eistedd ar ben ei lyfr daearyddiaeth. Cipiodd Tomos y llyfr oddi tani a'i roi'n ddiogel yn ei ddrôr, yna symudodd ei gadair i'r naill ochr er mwyn cael cadw llygad ar y ddau Cadabra a chanolbwyntio ar y stori.

'Ocê,' meddai Babs yn llon. 'Nawr 'te – o ble wyt ti'n meddwl ŷn ni'n dod?'

'Nid o Lanfairpwll,' meddai Tomos.

'Cywir ac anghywir, Mistar Ditectif!' chwarddodd Babs. 'Rydyn ni'n dod o bobman – ac mae pobman yn cynnwys Llanfairpwll. Ti'n gweld, rydyn ni'n symud o le i le, ble bynnag mae Mam a Dad yn perfformio. Am y tri mis diwethaf rydyn ni wedi bod yn byw mewn bwthyn gwyliau ger Blackpool.'

'Ond nawr mae Mam a Dad wedi prynu Tŷ Mawr. Maen nhw eisiau i ni setlo lawr a gweithio'n galed yn yr ysgol. *Bo-ring!*' meddai Ab. Disgynnodd yn fwndel blêr ar wely Tomos a syllu ar y nenfwd.

'Hei, fi sy'n dweud y stori!' protestiodd Babs gan daflu rwber Tomos at ei brawd. Neidiodd Locsyn i achub y rwber a dododd Tomos e'n ddiogel yn y drôr ar ben y llyfr daearyddiaeth.

'Roedden ni i gyd yn mynd i symud i Tŷ Mawr fory,' meddai Babs, 'ond neithiwr cafodd Mam a Dad alwad ffôn yn gofyn iddyn nhw fynd i lawr i Gaerdydd ar unwaith i drafod sioe deledu. Felly dwedon nhw wrth Nani am ein gyrru ni i lawr i Tŷ Mawr yn ein lorri arbennig ni.'

'Pan gyrhaeddon ni yma, roedd y tŷ'n wag wrth gwrs!' cwynodd Ab. 'Doedd y celfi ddim wedi cyrraedd a doedd dim golau a dim bwyd!' Gwasgodd ei fol.

'A nawr – dim Nani,' meddai Babs. 'Fe ddiflannodd hi pan es i ac Ab i chwarae yn y coed. Rydyn ni wedi chwilio a chwilio, ond does dim sôn amdani.'

'Roedden ni'n meddwl falle'i bod hi wedi mynd i brynu bwyd,' meddai Ab gan rwbio'i fol eto. 'Ond mi ddylai hi fod wedi dod yn ôl erbyn hyn.'

Edrychodd Tomos ar ei wats. Roedd hi bron yn wyth o'r gloch.

'Ers faint o amser mae Nani wedi bod ar goll?' gofynnodd.

'Ers tua pump awr,' meddai Ab.

'Pump awr!' gwaeddodd Tomos. 'Rhaid i chi ddweud wrth rywun!'

'Rydyn ni wedi dweud wrthot ti,' meddai Babs.

'Ond rhaid i chi ddweud wrth eich mam a'ch tad!'

'Mam a Dad!' Tasgodd Babs oddi ar y ddesg a sefyll uwch ei ben fel gwdihŵ fain. Roedd ei hwyneb yn faw i gyd heblaw am y cylchoedd gwyn o gwmpas ei llygaid. 'Wyt ti'n GALL?' rhuodd. 'Allwn ni ddim poeni Mam a Dad. Maen nhw mewn cyfarfod pwysig, pwysig, pwysig! Dyma'u cyfle nhw i gael sioe deledu!'

'Dyna pam wnaethon ni wisgo fel ffermwyr a rhoi'r trap o flaen y drws, twpsyn!' gwaeddodd Ab ar ei thraws. 'Rhag ofn i ryw gymdogion busneslyd ddod i'r tŷ, gweld ein bod ni yno ar ein pennau'n hunain ac yna mynd i'w ffonio nhw.'

'Dw i ac Ab wedi gwneud *den* i ni'n hunain yn y lorri,' meddai Babs. 'Rydyn ni'n iawn. Does dim angen Nani arnon ni. Ond gan dy fod ti'n dditectif, 'run man i ti fynd i chwilio amdani.'

'Be?' Crychodd Tomos ei dalcen a syllu ar y ddau Cadabra mewn rhyfeddod. 'Rydych chi eisiau i fi . . . i FI! . . . chwilio am eich nani chi?'

'Wel, ti yw'r ditectif!' meddai Babs. 'Neu dim ond un esgus wyt ti?'

'Iap!' protestiodd Locsyn. Doedd Tomos DDIM yn un esgus.

'Ie, un esgus ydy e,' meddai Ab yn siomedig gan godi ar ei eistedd. 'Edrych ar ei wyneb e. Does gyda fe ddim cliw.'

Cliw? Fflachiodd llygaid Tomos a dechreuodd cynffon Locsyn ysgwyd. Roedd wyneb Tomos yn cochi, ei ddwrn yn codi. BANG! Disgynnodd y dwrn ar y ddesg.

'Oes, *mae* gen i gliw!' atebodd Ditectif Tomos Aled Beynon a'i lais fel cloch. 'Ond yn gynta dwedwch hyn wrtha i, Ab a Babs. Ife Nina yw enw'ch nani chi?'

Ddwedodd y Cadabras ddim gair – dim ond syllu ar y ditectif a'u cegau'n llydan agored.

# Pennod 5

'Ife Nina yw enw'ch nani chi?' gofynnodd Tomos eto.

Nodiodd Babs yn araf, araf a syllu arno drwy lygaid cul.

'Sut wyt ti'n gwybod?' gofynnodd Ab yn ofalus. 'Wyt ti wedi'i gweld hi?'

'Na.'

'Wedi siarad â hi?'

Ysgydwodd Tomos ei ben.

'Be 'te?

Estynnodd Tomos ei fag ysgol a thynnu darn o bapur allan. Dangosodd y papur i'r Cadabras.

'*Na na na na na!*' darllenodd Babs yn syn. '*Nani Nina 'dani.*'

'Ces i afael ar hwn yn chwythu yn y gwynt wrth gât Tŷ Mawr pan ddes i adre o'r ysgol,' meddai Tomos gan gynhyrfu'n fwy bob munud. 'Doeddwn i ddim yn deall ei ystyr e tan nawr. Mae Blutac ar y tu cefn.'

'A thipyn bach o baent gwyrdd!' meddai Babs. 'Paent ein drws ffrynt ni!'

'Felly mae'n siŵr bod rhywun wedi ei roi ar eich drws ffrynt chi ond bod y gwynt wedi'i chwythu i ffwrdd. Ond pwy?'

'Dani!' meddai Ab. 'Mae ei enw e fanna.'

'Nid Dani yw hwnna,' eglurodd Tomos, 'ond 'da ni, sef "gyda ni".'

Syllodd Babs ar y papur eto.

'*Nani Nina 'da ni!*' darllenodd gan chwibanu. '*Nani Nina gyda ni!* Ydy hyn yn golygu bod rhywun wedi cipio Nani?'

'Ydy, mae arna i ofn,' meddai Tomos.

'Waw-i!' Mewn chwinc roedd Ab ar ei draed. Taflodd ei fraich am ei chwaer a dyma'r ddau Cadabra'n dechrau dawnsio ar draws y stafell fel dau fwgan brain gwyllt gan chwerthin a gweiddi.

Roedd Tomos yn methu credu!

'Hei! Ias mas!' gwaeddodd Babs pan welodd hi ei wyneb syn. '*Chill out*, ddyn!'

'Ie. Ias mas!' gwaeddodd Ab.

'Paid ag edrych mor ddifrifol, Twm Tec,' meddai Babs gan roi proc fach i Tomos wrth chwyrlïo heibio. 'Sdim rhaid i ti boeni rhagor. Dydyn ni ddim eisiau dy help di.'

'Ydych chi'n mynd i ffonio'r heddlu? Whiw! Diolch byth!' meddai Tomos. Roedd chwilio am Nani yn waith rhy bwysig o lawer i dditectif un ar ddeg oed. 'Dewch lawr y grisiau i ffonio.' Amneidiodd ar Ab a Babs, ac anelu am y drws.

Yr eiliad nesaf roedd e'n baglu dros droed Ab. Roedd y ddawns wyllt wedi stopio a'r Cadabras yn syllu arno mewn penbleth llwyr.

'Ffonio'r heddlu?' meddai Ab.

'I be?' meddai Babs.

'Wel, achos bod rhywun wedi cipio'ch nani chi, wrth gwrs!' rhuodd Tomos.

'Ie, ond nid ein bai ni yw hynny,' atebodd Babs.

'Petai Nani wedi rhedeg i ffwrdd, *ni* fyddai'n cael y bai,' meddai Ab gyda gwên fach ddwl fel cwningen. 'Ond os oes rhywun wedi'i chipio hi, nid ein bai ni yw e, felly mae popeth yn iawn.'

'Ydy,' meddai Babs gan wenu 'run mor ddwl. 'Fe arhoswn ni i gael bwyd gyda ti, wedyn fe awn ni adre.'

Anadlodd Tomos yn araf a phinsio cefn ei law i weld a oedd e'n breuddwydio. Yn anffodus, doedd e ddim. Clywodd ddrws ffrynt byngalo Nain yn cau a sŵn ei thraed ar y llwybr.

'Sut gallwch chi feddwl am fwyta pan mae eich nani chi mewn perygl?' meddai Tomos.

'Yn hawdd. Bydd dy nain yn siŵr o roi rhywbeth i ni,' atebodd Babs yn sionc. Roedd drws y ffrynt newydd agor a dyma hi'n troi am y landin.

'A bydd Nain yn siŵr o ffonio'r heddlu pan ddweda i wrthi fod rhywun wedi cipio'ch nani chi,' hisiodd Tomos drwy'i ddannedd. 'Wedyn . . .'

'Wedyn be?' gwichiodd Ab.

'Bydd yr heddlu'n ffonio'ch rhieni, wrth gwrs.'

Trodd Babs yn ei hôl, pwysodd yn erbyn y drws a phlethu'i gwefusau.

'Felly beth wyt ti eisiau i ni wneud, Mr Ditectif?' gofynnodd gydag ochenaid fawr.

'Dwi eisiau i chi 'ngwahodd i i Tŷ Mawr heno,' meddai Tomos. 'Rydyn ni'n tri'n mynd i chwilio am ragor o gliwiau. Deall?'

Cododd Babs ei hysgwyddau. 'Ocê.'

'Ond cyn hynny dwi eisiau i chi 'molchi a thwtio'ch hunain,' sibrydodd Tomos yn frysiog. 'Dwi ddim eisiau i chi ddychryn Nain.'

Ar y gair dyma lais Nain yn galw o waelod y stâr, 'Sgin ti amsar am banad, Twm bach?'

'Oes,' gwaeddodd Tomos yn sionc. 'Dod nawr, Nain.' Pwyntiodd ei fys at y ddau arall cyn diflannu drwy'r drws gyda Locsyn yn dynn wrth ei sodlau. Roedd e'n gwybod yn iawn fod Ab a Babs yn tynnu wynebau y tu ôl iddo. Doedd dim rhaid bod yn dditectif i wybod hynny.

Roedd Nain yn codi darnau bach o laswellt gwlyb o lawr y gegin. Pan ddwedodd Tomos wrthi fod dau ymwelydd yn y llofft, agorodd ei llygaid led y pen.

'Wel, wel, wel, wel,' meddai'n falch. 'Dyna braf! Cwmni i ti o'r diwadd, Twm.' A dyma hi'n rhuthro i ferwi llaeth ar gyfer paneidiau o siocled ac estyn y tun cacennau. 'Gymeran nhw frechdan neu ddwy, ti'n meddwl?'

'Siŵr o fod, Nain,' meddai Tomos gan sefyll yn

nrws y gegin. Roedd un llygad yn gwylio Nain a'r llall wedi'i hoelio ar y grisiau i weld sut olwg fyddai ar Ab a Babs.

Y peth cynta ymddangosodd ar y grisiau oedd pâr o draed mewn sanau piws. Yn dilyn y sanau daeth sarong ddu. Gwthiodd Locsyn ei ben rownd y drws a rhoi gwên fawr. Roedd y sarong yn edrych yn well ar Babs nag oedd hi ar y ci. Roedd hi'n siwtio crys-T Babs i'r dim. Roedd Ab yn dal i wisgo ei grys-T Bart Simpson, ond yn lle trywsus brethyn gwisgai bâr o jîns Tomos, oedd fymryn yn rhy fawr. Roedd y ddau wedi cribo'u gwalltiau ac wedi golchi'u hwynebau nes eu bod nhw'n disgleirio. Roedden nhw'n edrych yn ddigon angylaidd i dwyllo Nain druan.

Pesychodd Tomos.

'Dyma Ab a Babs,' meddai.

Rhoddodd Nain y sosban laeth yn y sinc a rhuthro at y drws.

'Dda gen i'ch cyfarfod chi, blantos,' meddai Nain gan daflu'i breichiau amdanyn nhw.

'Rydyn ni wedi dod i ddiolch i chi am y deisen,' meddai Babs yn foesgar.

'Tewch â sôn,' meddai Nain. 'Gobeithio'ch bod chi wedi'i mwynhau hi.'

'Roedd hi'n toddi yn y geg fel neithdar y duwiau,' meddai Ab gyda gwên fach annwyl ar ei wyneb.

Roedd Nain wrth ei bodd.

'Gwnewch eich hunain yn gyffyrddus fan'ma yn y stafell ffrynt ac mi ddo i â phanad i chi mewn chwinc,' meddai. Dododd hi Ab a Babs i eistedd un bob ochr i'r bwrdd coffi cyn rhuthro'n ôl i'r gegin i baratoi bwyd.

Doedd Nain ddim wedi cael cyfle i gau'r llenni. Disgynnodd Tomos ar fraich y soffa a gwylio'r dillad ar lein Mr a Mrs Williams yn fflapio fel ysbrydion i gyfeiriad wal Tŷ Mawr. Y tu ôl iddo roedd Ab a Babs yn tynnu wynebau eto.

'Byddwch yn ofalus,' meddai'n sychlyd. 'Os bydd y gwynt yn troi, bydd eich wynebau chi'n aros fel'na am byth.'

'Gwynt yn troi ddeudist ti, Twm bach?' galwodd Nain o'r gegin. 'Na, dydy'r hen wynt ddim wedi troi drwy'r dydd.'

Gwasgodd Ab a Babs eu dwylo dros eu cegau a chwerthin.

Ond doedd Tomos ddim yn chwerthin. Yn sydyn roedd e'n teimlo fel petai pwysau trwm wedi disgyn i waelod ei fol. Os oedd y gwynt wedi chwythu *tuag at* Tŷ Mawr drwy'r dydd, sut gallai'r neges am Nina fod wedi chwythu oddi ar y drws a glanio ar Stad Bryn-crin? Trodd at Ab a Babs.

'Ydych chi'n chwarae tric arna i?' gofynnodd yn ffyrnig. 'Ydych chi'n siŵr bod gyda chi nani?'

'Wrth gwrs ein bod ni!' protestiodd Ab a Babs.

'Sut wyt ti'n meddwl y daethon ni yma, y twpsyn?' meddai Babs. 'Allen ni ddim gyrru'r lorri ein hunain!'

Cododd y ddau ar eu traed a mynd i helpu Nain a oedd yn cario hambwrdd llwythog drwy'r drws.

'Diolch,' meddai Nain ac yna dyma hi'n stopio ac yn clustfeinio. 'Ydy dy ffôn di'n canu yn y llofft, Tomos? Tomos!' Roedd Tomos yn brysur yn meddwl gyda golwg boenus ar ei wyneb. Gwenodd Nain a chydio'n ei fraich. 'Mae dy ffôn di'n canu yn y llofft, 'mach i.'

'O, diolch, Nain.' Aeth Tomos i'r llofft ar ei union, ond distewodd y ffôn wrth iddo gyrraedd ei stafell wely. Nid ei ffôn e oedd yn canu, ta beth. Roedd y sŵn wedi dod o boced y sgert goch a du ar y llawr.

Gwthiodd Tomos ei law i boced y sgert a thynnu'r ffôn allan. Roedd rhywun wedi gadael neges. Doedd Tomos ddim yn arfer gwrando ar negeseuon pobl eraill, ond y tro hwn wnaeth e ddim oedi. Fe wasgodd y botwm.

Yr eiliad nesaf roedd e'n crynu drwyddo wrth i lais cras, bygythiol sibrwd yn ei glust: 'Os ydych chi am gael Nina'n ôl, gadewch y bar aur ar ganol lawnt Tŷ Mawr am naw o'r gloch.'

Cliciodd y ffôn a stryffagliodd Tomos at y ffenest a'i galon yn morthwylio. Sbeciodd rownd y llenni ar stad fach dawel Bryn-crin ac yna ar gât Tŷ Mawr a'r lôn yn diflannu rhwng y coed.

'Gadewch y bar aur ar ganol y lawnt am naw o'r gloch.'

Pa far aur?

Pam ar ganol y lawnt?

Pwysodd Tomos ei dalcen ar y ffenest a gwylio'i anadl yn codi fel niwl. Yna estynnodd flaen ei fys a chrafu cwestiwn arall yn fân, fân ar wydr y ffenest.

Pam na ddwedodd Ab a Babs beth oedd enw eu nani?

## Pennod 6

Yn y stafell ffrynt roedd Nain yn siarad fel pwll y môr. Pan gerddodd Tomos i mewn, trodd Ab a Babs i edrych arno a'u cegau'n llawn o frechdan.

'Dyna braf fydd cael mwy o blant o gwmpas y lle,' meddai Nain. 'Yn Llanfairpwll ers talwm ro'n i'n byw yng nghanol plant a dwi wrth fy modd yn

clywad eu sŵn nhw'n chwarae. Mae'r hen stad
'ma'n medru bod yn go dawal, yn tydy Tomos?'

'Ydy,' meddai Tomos. 'Yn dawel iawn.' Aeth i
gau'r llenni.

Estynnodd Nain blât a phwyntio at y
brechdanau, ond doedd dim awydd bwyd ar
Tomos.

'Ces i ddigon o swper, diolch Nain,' meddai.

Pan oedd Nain a'i chefn tuag ato, gwnaeth
arwydd i'r lleill. Ar unwaith stwffiodd Ab a Babs
weddill eu brechdanau i'w cegau a llyncu'r ddiod
siocled yn swnllyd.

'Mae'n bryd i ni fynd adre,' meddai Babs.
'Diolch yn fawr am y bwyd hyfryd, Nain.'

Gwenodd Nain yn dirion. Roedd hi mor falch
fod Babs yn ei galw'n 'Nain'. A phan ofynnodd
Ab, 'All Tomos ddod adre gyda ni am awr fach,
Nain?' doedd dim posib gwrthod.

'Caiff siŵr,' meddai. 'Mae'n ddydd Sadwrn
fory. Mi gaiff o gysgu'n hwyr.'

Bum munud yn ddiweddarach roedd y tri
ohonyn nhw'n sefyll wrth gât Tŷ Mawr. Y tu ôl
iddyn nhw roedd Nain yn chwifio'i llaw ar garreg
y drws gyda Locsyn yn ei hymyl yn ysgwyd ei
gynffon yn araf a diflas. Roedd Nain wedi mynnu

ei fod e'n aros gartre rhag ofn y byddai'n gadael blew ac ôl pawennau ar gelfi Tŷ Mawr. Doedd neb wedi dweud wrthi fod y tŷ'n hollol wag. Cododd Tomos ei law ar Nain a Locsyn cyn troi i wynebu'r lôn dywyll.

Doedd Ab a Babs ddim yn edrych mor hapus erbyn hyn. Roedd Ab yn swatio wrth ochr chwith Tomos a Babs wrth ei ochr dde.

'Galla i a Babs ddod i gysgu ar lawr dy stafell wely di,' sibrydodd Ab yn obeithiol. 'Mi sleifiwn ni i mewn pan fydd Nain yn gwylio'r teledu . . .'

'Sh!' meddai Tomos. 'Gwrandewch ar hwn.'

Tynnodd Tomos ffôn Babs o'i boced a gwasgu'r botwm.

'Os ydych chi am gael Nina'n ôl, gadewch y bar aur ar ganol lawnt Tŷ Mawr am naw o'r gloch.'

Yn y tywyllwch swniai'r llais yn fwy brawychus fyth. Crynodd Babs. Crynodd Ab hefyd – ac am funud doedd dim siw na miw i'w glywed, dim ond sŵn eu dannedd yn rhincian.

'Naw o'r gloch heno?' gwichiodd Babs a'i gwynt yn ei dwrn. 'Felly mae'r giang yma yn rhywle?' Edrychodd o'i chwmpas yn ofnus.

'Beth wyt ti'n mynd i'w wneud, dditectif?' snwffiodd Ab gan gydio'n dynnach yn Tomos.

'Mae gen i gwestiwn i'w ofyn i chi,' sibrydodd Tomos.

'Beth?' meddai'r Cadabras ar unwaith.

Goleuodd Tomos ei dortsh a'i ddisgleirio ar wynebau disgwylgar y ddau.

'Pam na wnaethoch chi ddweud beth oedd eich nani?' gofynnodd Tomos.

'Y?' Crychodd trwyn Babs.

'Am gwestiwn twp!' meddai Ab yn ddig.

'Dyw e ddim yn dwp o gwbl,' meddai Tomos. 'Atebwch! Pam na wnaethoch chi ddweud enw eich nani? Roeddech chi'n sôn am Nani drwy'r amser, ond wnaethoch chi mo'i galw hi'n Nina. Pam?'

'O!' Ysgydwodd Babs ei phen yn ddiamynedd. 'Dydyn ni byth yn trafferthu i ddysgu enwau. Dw i ac Ab wedi cael dwsinau o nanis dros y blynyddoedd. Fel arfer rydyn ni'n chwarae triciau i gael gwared ohonyn nhw.'

'Dyna pam oeddech chi'n poeni mai chi fyddai'n cael y bai am fod Nina wedi mynd?'

'Wrth gwrs!'

'Felly dyw Nina ddim wedi bod gyda chi am hir?'

'Llai na mis,' meddai Ab.

'Pam?' Daliodd Babs ei hanadl. 'Wyt ti'n meddwl bod Nina'n ein twyllo ni?'

'Ond llais dyn oedd ar y ffôn!' meddai Ab.

'Ffrind Nina, falle,' meddai Tomos. 'Chi'n gweld, dim ond un hewl sy'n arwain at Tŷ Mawr, sef yr un sy'n mynd drwy Stad Bryn-crin. Hefyd mae wal uchel o gwmpas yr ardd. Dwi ddim yn gweld sut y gallai unrhyw un gipio Nina a'i gyrru i ffwrdd heb i Nain fod wedi sylwi. Mae Nain a phawb arall ym Mryn-crin wedi bod yn cadw llygad ar Tŷ Mawr heddi, a does neb wedi sôn am ddim byd heblaw'r lorri ddu.'

'Felly rwyt ti'n meddwl fod Nina yma o hyd a'i bod hi eisiau dwyn y bar aur!' meddai Babs.

'Beth yw'r bar aur?' gofynnodd Tomos.

Dim ateb. Roedd y ddau Cadabra wedi troi at ei gilydd ac yn gwenu fel gatiau.

'Waw-i! Am unwaith mae gyda ni nani sy'n fwy cyfrwys na ni,' meddai Ab.

'Wel, mae hi'n meddwl ei bod hi!' chwarddodd Babs. A dyma hi a'i brawd yn taro dwylo'i gilydd ac yn carlamu i ffwrdd lan y lôn.

'Ara deg!' llefodd Tomos.

Dim iws! Doedd y Cadabras ddim yn deall beth oedd gwrando. Erbyn i Tomos eu dal, roedden nhw'n pwyso ar goeden, yn sibrwd yng nghlustiau'i gilydd ac yn sbecian ar lawnt Tŷ Mawr. Lawnt fach gron oedd hi gyda wal isel o'i chwmpas. Disgleiriai'r lleuad ar y glaswellt cwta yn union fel llifolau ar lwyfan theatr.

'Da-dang-ta-dang!' Neidiodd Babs ar ben boncyff ac esgus bod yn enillydd Olympaidd.

'Shhhh!' erfyniodd Tomos. 'Paid â gwneud sŵn a chwarae o gwmpas! Rhaid i ni feddwl beth i'w wneud.'

'Mae Ab a fi'n gwybod beth i'w wneud,' chwarddodd Babs. 'Rydyn ni wedi dal digon o nanis i lanw Stadiwm y Mileniwm.'

'Mae'r lorri ddu'n llawn o driciau ac offer Mam a Dad,' meddai Ab. 'Ac mae gyda ni jyst y peth i ddal rhyw bryfyn bach fel Nina.' Gwasgodd ei ddwrn yn dynn.

'Unwaith y bydd y pryfyn bach yn mynd at y bar aur . . .' meddai Babs.

'Bar aur?' meddai Tomos ar ei thraws. 'Ydy e'n aur go iawn?'

'Ydy e'n aur go iawn?' Chwyddodd Ab ei frest ac edrych yn hurt ar Tomos. 'Ditectif Twp! Rhag dy gywilydd di'n gofyn y fath gwestiwn! Dwyt ti erioed wedi clywed am y tric ffantastig, Aur yr Alcemydd?'

'Na, dyw e ddim!' chwarddodd Babs. 'Llo yn y llaid wyt ti, Tomos. Hen *stick in the mud.* Mae pawb PWYSIG wedi clywed am Aur yr Alcemydd. Tric yw e lle mae Dad yn brwsio'r llawr, Mam yn codi'r llwch ac yna'n troi'r llwch yn aur pur.'

'Aur PUR!' meddai Ab. 'Aur PUR! Deall? Dyna un o'r pethau sy'n gwneud sioe Mam a Dad yn enwog. Nid dyma'r tro cynta i rywun drio dwyn yr aur ac nid dyma'r tro cynta iddyn nhw fethu chwaith. Dere, Babs, i ni gael gosod trap i ddal Nani.'

'Arhoswch!' meddai Tomos yn frysiog. Falle'i fod e'n llo yn y llaid, ond o leia roedd e'n gwybod pryd oedd ŵyn bach yn cael eu geni. Ac roedd e'n gwybod sut i siarad iaith Llanfairpwll. Roedd e'n gwybod hefyd fod gan Nina ffrind yn ei helpu. Mwy nag un efallai – ac efallai'u bod nhw'n cuddio yn y coed y funud hon. 'Sut un yw Nina?'

'Merch dal, heini gyda gwallt du cwta,' atebodd Babs. 'Roedd hi'n arfer chwarae pêl-rwyd dros Gymru.'

'Heini a chlyfar!' meddai Tomos. 'Mwy na thebyg ei bod hi'n eich gwylio chi'r funud hon.'

'Dim ots!' meddai Babs. 'Mae consurwyr yn gwybod sut i dwyllo cynulleidfa. Nawr cer o'r ffordd i ni gael nôl yr aur o'r lorri.'

'Be?' llefodd Tomos. 'Dydych chi rioed yn cadw darn o aur gwerthfawr yn y lorri!'

'Ble arall?' meddai Ab. 'Dyna lle mae Mam a Dad yn cadw'r offer i gyd.' Ac i ffwrdd ag e a Babs ar ras i gyfeiriad yr iard gefn gan wneud cymaint o sŵn â haid o eliffantod.

Pinsiodd Tomos gefn ei law unwaith eto i weld a oedd e'n breuddwydio. Na, roedd e'n dal yn hollol, hollol effro. Ac allai e ddim credu fod Nina a'i giang yn mynd i roi cyfle i Ab a Babs chwarae tric arnyn nhw. Doedden nhw ddim yn mynd i aros tan naw o'r gloch. Na, roedden nhw'n mynd i ymosod nawr! Cyn gynted ag y byddai Babs yn nôl yr aur o'r lorri, bydden nhw ar ei phen hi.

Dechreuodd Ditectif Tomos Aled Beynon redeg fel y gwynt. Os oedd e'n dditectif gwerth ei halen, roedd yn rhaid iddo stopio'r lladron. Wrth daranu heibio i dalcen y tŷ clywodd draed Ab a Babs yn crensian dros goncrit yr iard gefn.

Erbyn iddo droi'r gornel roedd drws y lorri ar agor a golau'r lleuad yn disgleirio ar rywbeth melyn disglair yn llaw Babs.

Yr eiliad honno clywodd Tomos rywun yn rhedeg yn dynn wrth ei sodlau.

'Ab! Babs!' gwaeddodd.

Yng nghefn y lorri roedd Babs fel petai wedi rhewi. Croesodd Tomos yr iard ar garlam, neidiodd i'r lorri a thaflu ei hun at y bar melyn disglair. Ond teimlodd fraich yn ei wthio i'r naill ochr, ac mewn chwinc roedd yr aur wedi diflannu o dan ei drwyn!

## Pennod 7

'Stop, lleidr!' gwaeddodd Tomos. Trodd a neidio
i mewn i'r iard gan feddwl rhedeg ar ôl y lleidr.
Ond roedd yr iard yn wag! Doedd dim sŵn traed
i'w glywed chwaith, dim ond sŵn rhywun yn
giglan.

Giglan!

Edrychodd Tomos dros ei ysgwydd. Yng
nghefn y lorri roedd Ab a Babs yn eu dyblau.

'Da-dang!' meddai Babs gan ddangos bar o aur
melyn. 'Ha ha, Mistar Ditectif! Fe dwyllon ni ti.
Roeddet ti'n meddwl fod lleidr wedi rhedeg ar

draws yr iard a dwyn yr aur, on'd oeddet ti? Wel, doedd 'na ddim lleidr. Ab oedd yno.'

'Mi guddies i rownd cornel y tŷ ac yna rhedeg ar dy ôl di. Roeddet ti mor brysur yn edrych ar yr aur, wnest ti ddim sylwi,' meddai Ab yn llon.

'Dyna sut mae Mam a Dad yn twyllo pobl,' meddai Babs. 'Maen nhw'n gweithio gyda'i gilydd fel tîm. Hefyd maen nhw'n tynnu sylw at un peth, tra mae rhywbeth arall mwy pwysig yn digwydd.'

'Mae rhywbeth arall mwy pwysig YN digwydd,' meddai Tomos drwy'i ddannedd. 'Os oedd y darn aur yna yn y lorri drwy'r amser, pam na wnaeth Nina ei ddwyn e cyn hyn? Pam na wnaeth hi yrru'r lorri i ffwrdd?'

Diflannodd y wên o wynebau Ab a Babs.

'Achos . . .' meddai Ab yn ansicr.

'Achos doedd hi ddim yn siŵr ble oedd yr aur,' meddai Babs. 'Mae Mam a Dad yn dda iawn, iawn am guddio pethau. Edrych.'

Pwyntiodd at ochrau'r lorri. Ar bob ochr roedd rhesi o ddroriau'n cyrraedd at y to, droriau du gyda llun ar bob un.

'Agor hwn,' meddai Babs, gan bwyso'i bys ar ddrôr â llun cwningen wen arno. 'A dwed wrtha i be sy ynddo.'

Agorodd Tomos y drôr a gwthio'i law i bob twll a chornel.

'Dim byd,' meddai.

'Dim byd?' meddai Babs. 'Gad i fi weld.' Gwthiodd hi Tomos o'r ffordd, rhoi ei llaw yn y drôr a thynnu cwningen wen allan – un degan wrth gwrs. 'Ti'n gweld! Dyw hi ddim yn hawdd ffeindio pethau yn lorri'r Cadabras.'

Ddim yn hawdd, ond ddim yn amhosib, meddyliodd Tomos. Gallai lleidr dynnu'r lorri'n ddarnau.

'Oedd Nina'n gwybod bod yr aur yn y lorri?' gofynnodd.

'Oedd, wrth gwrs,' atebodd Ab yn llon. 'Cyn mynd i Gaerdydd, dwedodd Mam a Dad wrthi am ofalu am y lorri gan fod pethau gwerthfawr iawn ynddi.'

'Dyna wers i Mam a Dad,' meddai Babs gan benlinio ar y llawr ac agor drôr mawr â llun corryn arno. 'Maen nhw wastad yn dweud wrthon ni am wrando ar Nani a gwneud yn union fel mae Nani'n dweud. Wel, rydyn ni'n mynd i wrando ar Nani a gadael y bar o aur pur a gwerthfawr ar ganol lawnt Tŷ Mawr.' Cododd ei phen a gwelodd Tomos ei dannedd yn disgleirio. 'Wrth gwrs, byddwn ni'n rhoi sioc i Nani hefyd,' meddai. 'Sioc FAWR. Dere 'ma, Ab. Rho hwn mewn sach.' Cododd fwndel mawr o linyn plastig gwyrdd a'i estyn i'w brawd. 'Tym-ti-tym-ti-tym,' canodd.

Aeth Tomos at ddrws y lorri a gadawodd i olau'r lleuad ddisgyn ar ei wats. Hanner awr wedi wyth. Ble roedd Nina nawr? Trueni nad oedd Locsyn yno i chwilio amdani. Camodd allan o'r lorri a symud yn ofalus at gornel y tŷ.

Wrth sleifio yn ei flaen tua'r lawnt ffrynt, anadlodd oglau glaswellt a stopiodd yn stond.

Pwy oedd wedi torri'r lawnt mor dwt?

Pryd?

A pham?

Doedd ei dad e ddim yn torri'r lawnt yn yr hydref fel arfer. Na Nain chwaith. Roedd Dad wedi oelio'r ddau beiriant a'u rhoi i gadw dros y gaeaf.

Cripiodd Tomos yn nes at y lawnt a phwyso ar y wal isel o'i blaen. Gwaith ditectif oedd rhoi cliwiau at ei gilydd ac ateb pob cwestiwn. Cymerodd anadl ddofn ac yna'n araf a gofalus dechreuodd restru'r cliwiau yn ei ben:

*1. Y tŷ gwag     2. Y neges     3. Y glaswellt*

Roedd Tomos mor brysur yn pendroni, welodd e mo'r falŵn fach wen yn hedfan dros y coed. Sylwodd e ddim arni nes ei bod hi bron yn union uwchben, yna trodd a'i gwylio'n hedfan dros Tŷ Mawr.

Dechreuodd ei galon guro'n gyflym.

Ai'r falŵn oedd y pedwerydd cliw?

Ie!

'Ab a Babs!' gwaeddodd.

Roedd Ab a Babs yn martsio tuag at y lawnt. Roedden nhw'n gwisgo siwmperi duon a balaclafas ac yn cario sach ddu.

'Cer i sefyll ar y llwybr draw fanna, Twm Tec,' gorchmynnodd Babs, 'ac fe ddangoswn ni i ti sut mae setlo Nani.'

'Na, arhoswch!' meddai Tomos yn gyffrous. 'Dwi'n meddwl 'mod i wedi datrys y dirgelwch!'

'*So*?' meddai Babs.

'Si? meddai Ab.

'Si-so, Mistar Llo,' meddai'r ddau gan chwerthin ac ysgwyd cynnwys y sach ar y lawnt ar yr un pryd.

'Gwrandwch!' meddai Tomos. 'Pam byddai Nani'n gofyn i chi adael yr aur ar ganol y lawnt?'

'Achos bod nanis yn dwp!' meddai Babs.

'Ond dw i ddim!' meddai Tomos. 'A . . .'

'CER!' rhuodd Babs.

'Dwi'n rhifo i dri!' meddai Ab. 'Un . . . dau . . .'

'Ocê!' Camodd Tomos yn ôl a'i wynt yn ei ddwrn. Doedd dim iws gofyn i'r Cadabras am help. Trodd ar ei sawdl a dechrau'i heglu hi i lawr y lôn i Fryn-crin. Arafodd cyn cyrraedd y stad, swatiodd yn y cysgodion ac yna sleifio drwy gât rhif 10 a cherdded ar flaenau'i draed ar hyd talcen y tŷ i weld ble oedd Nain. Clywodd ei sŵn hi'n hymian wrth roi eisin ar gacen ben-blwydd a chlywodd sŵn Locsyn yn rhedeg at y ffenest. Dihangodd Tomos ar unwaith i gefn y tŷ a chripian drwy'r gât fach i ardd drws nesa.

Ar unwaith teimlodd dalpiau o laswellt wedi'i dorri o dan ei draed. Roedd y talpiau'n arwain at sièd Nain. Doedd e'n synnu dim. Pa dŷ oedd wedi bod yn wag mwy neu lai drwy'r dydd? Tŷ Nain! Pa le gwell i Nina guddio ynddo a chael gafael ar beiriant torri glaswellt ar yr un pryd?!

Ble oedd Nina nawr? Cripiodd Tomos at ffenest y gegin. Roedd y llenni ynghau, wrth gwrs, llenni trwm gyda leinin trwchus. O bell roedd hi'n amhosib gweld golau drwy'r llenni.

Ond os aech chi'n agos a gwthio'ch trwyn ar y ffenest a syllu tua'r llawr . . .

Dyna wnaeth Tomos. Gwthiodd ei drwyn yn erbyn y ffenest a syllu ar bâr o draed yn sefyll ar garped blodeuog Nain. Daliodd ei anadl a chlywodd sŵn hwtian gwdihŵ yng nghanghenn-au'r coed. Clywodd sŵn dŵr yn rhedeg o bibell. Clywodd leisiau'n sibrwd y tu draw i'r llenni a gwrandawodd yn astud cyn gollwng ei afael ar sil y ffenest a chamu'n ôl i gael ei wynt.

Yn union fel roedd e'n disgwyl, roedd tri pherson yn cuddio ym myngalo Nain. Heb os, Nina oedd un ohonyn nhw. Roedd y tri'n aros tan naw o'r gloch. Doedd dim amser i'w golli os oedd e am rybuddio Ab a Babs! Symudodd Tomos yn ôl tuag at y ffens.

Yn y tŷ drws nesa roedd Locsyn yn cyfarth nerth ei geg. Clywodd Tomos sŵn allwedd yn troi ac yna lais Nain yn dweud, 'Taw â dy sŵn, Locsyn bach. Mi gei di fynd am dro rŵan. Allan â chdi, ngwas i.'

Gwasgodd Tomos ei hun yn erbyn y wal wrth i Locsyn ruthro drwy'r drws fel taran. Mewn chwinc roedd y ci defaid wedi neidio dros y ffens ac yn cyfarth yn llon nerth ei geg.

'Shhhhh!' meddai Tomos.

Rhy hwyr!

Taflwyd drws cefn y byngalo ar agor, a chyn i Tomos fedru dianc, llusgwyd e i mewn ar ras gan ddyn main. Ar yr un pryd neidiodd merch dal, heini dros y ffens a mynd i nôl Nain.

# Pennod 8

Swatiodd Tomos ar y soffa ym myngalo Nain a gwylio bysedd y cloc yn symud yn araf tuag at naw o'r gloch. Roedd tri aelod y giang yn sefyll uwch ei ben. Am bum munud i naw nodiodd y dyn.

'Gwell i ti ddod gyda ni,' meddai Nina gan gydio ym mraich Tomos. 'Fe gaiff dy nain aros fan hyn.'

Roedd y wraig arall yn y giang yn aros i ofalu am Nain. Yn y gegin roedd Locsyn yn udo'n drist.

Stryffagliodd Tomos allan i'r nos oer. Meddyliodd am Ab a Babs druain. Roedden nhw'n meddwl eu bod mor glyfar. Petaen nhw ond wedi gwrando! Brathodd ei wefus.

Gydag aelodau'r giang un bob ochr iddo, brysiodd drwy gât Tŷ Mawr ac i fyny'r lôn nes dod i olwg y tŷ. O'i flaen gorweddai'r lawnt gron fel llyn mawr llonydd. Yng nghanol y lawnt, yn disgleirio fel fflam o dân, safai'r bar aur.

Edrychodd Tomos i fyny ar wyneb y dyn yn ei ymyl a gwelodd y wên wawdlyd yn lledu drosti. Gafaelodd yn Tomos a'i dynnu i gysgod coeden. Ar yr un pryd symudodd Nina yn ei blaen.

Roedd hi'n ddigon hawdd gweld bod Nina wedi chwarae pêl-rwyd dros Gymru. Roedd hi'n symud yn sionc, yn gryf ac yn benderfynol. Rhedodd ar draws y glaswellt, neidio fel mabolgampwr dros y wal isel a glanio ar y lawnt. A doedd neb yn ei stopio! Ble roedd Ab a Babs?

Mewn chwinc roedd Nina wedi gafael yn yr aur. Roedd hi'n troi'n ôl. Ac yna:

SGRECH!

Roedd y glaswellt ar y lawnt yn symud. Cwympodd Nina yn ei hyd a dechrau gwingo fel pryfyn wrth i we gau amdani – gwe wedi'i gwneud o blastig gwyrdd. Am dric! Cyn pen dim roedd Nina wedi troi'n fwndel llonydd, gwyrdd.

Clywodd Tomos y dyn yn chwerthin yn ei ymyl. Roedd e'n syllu i gyfeiriad talcen y tŷ. Wrth y gornel roedd cysgodion yn symud, a chyn pen dim dyma Ab a Babs yn sleifio i'r golwg. Cripion nhw at ymyl y lawnt, edrych o'u cwmpas, ac yna camu'n hyderus tuag at y 'pryfyn' yn y canol.

'Ocê!' meddai Babs mewn llais plismon teledu. 'Rydyn ni wedi dy ddal di, Nina. Dere â'r aur i ni nawr.'

Dim ateb.

'Nina! Dwi'n aros.'

Dim ateb.

Cliciodd Babs ei bys ar Ab a dyma'i brawd yn gafael yn y pentwr plastig . . .

Wnâi Tomos byth anghofio'r foment honno.

O dan olau gwyn y lloer roedd wynebau Ab a Babs yn wynnach fyth. Wrth i Ab gydio yn y plastig, roedd y pentwr wedi suddo i'r llawr fel balŵn yn byrstio. Doedd dim y tu mewn iddo. Roedd Nina a'r bar aur wedi diflannu.

Gyda sgrech o fraw a dychryn dechreuodd Ab a Babs redeg nerth eu traed i lawr y lôn. Cyn i Tomos fedru symud, roedd y dyn wedi camu allan o'u blaenau. Sgrechiodd Ab a Babs yn uwch fyth.

'Wel, Barbara ac Abram Cadabra!' rhuodd llais oer.

Cydiodd y ddau yn ei gilydd a chrynu fel dail wrth i'r dyn gipio'r balaclafas oddi ar eu pennau. Yna:

'Dad!' gwaeddodd Ab.

'Dad!' gwaeddodd Babs.

'Dwi wedi dod adre i weld a ydych chi'n gofalu am Nani, 'mhlant bach i,' meddai llais llym y consuriwr enwog, Mr Morgan Cadabra. 'Ble mae hi?'

Plethodd Ab a Babs eu breichiau a dechrau pwdu a snwffian.

'Gobeithio eich bod yn edrych ar ei hôl hi,' meddai eu tad. 'Ac yn edrych ar ôl y bar aur hefyd. Wel? Ble mae Nina?'

'Ti sy'n gwybod, Dad!' cwynodd Babs 'Dyw hyn ddim yn deg. Rwyt ti wedi chwarae tric arnon ni. A . . .' Gwichiodd mewn tymer wrth weld Tomos yn camu o'r coed. 'Pam mae *hwnna* gyda ti?'

'Hwnna?' meddai Dad. 'Ditectif Tomos Aled Beynon ydy hwn. Mae Tomos yma efo fi am ei fod o'n ddigon clyfar i weithio allan yn union beth oedd yn digwydd, yn wahanol i chi'ch dau.'

Cadwodd Tomos ei wyneb yn hollol lonydd. Doedd e ddim yn mynd i frolio. Wedi'r cyfan, dim ond rhyw hanner awr yn ôl, wrth weld y falŵn, roedd e wedi sylweddoli. Doedd hanes Nina a'r bar aur ddim wedi gwneud synnwyr o'r dechrau. Felly roedd rhywun yn chwarae tric. Ac os nad Ab a Babs, pwy? Pwy oedd yn gyfarwydd â chwarae triciau? Dau gonsuriwr, wrth gwrs, sef Morgan a Marged Cadabra. Ac roedd y nani'n falch iawn i helpu. Dros ysgwydd Babs gwyliodd Tomos ddarn hir o 'laswellt' yn codi ar ganol y lawnt a Nina'n camu allan o gell danddaearol.

'Ro'n i'n meddwl y byddai'r plant yn defnyddio Tric y We,' eglurodd Morgan Cadabra wrth Tomos. 'Syniad da – ond doedden nhw ddim wedi sylweddoli 'mod i wedi dysgu Nina sut i ddianc o'r we a hefyd wedi paratoi cell arbennig yn y lawnt ryw ddeuddydd yn ôl.' Gwenodd ar Nina. 'Da iawn ti, Nina,' meddai.

Daeth Nina ato gan chwerthin a'r bar aur yn ei llaw.

'Ond pam oeddet ti'n chwarae tric mor slei arnon ni, Dad?' cwynodd Ab.

'Ie,' protestiodd Babs.

'I chi gael dysgu gwers,' meddai eu tad gan wgu'n gas. 'Rydych chi'ch dau wedi dychryn un nani ar ôl y llall ac mae hynny'n achosi pob math o broblemau i'ch mam a fi. Plant dwl ydych chi. A dydych chi ddim hanner cystal ditectifs â Tomos.'

'Hm!' snwffiodd Babs gan wasgu'i throed ar droed dde Tomos.

'Hm!' meddai Ab gan wasgu troed chwith Tomos.

'A dyma dditectif da arall!' meddai Morgan Cadabra gan godi'r bar aur.

Ar amrantiad goleuodd pob un o ffenestri Tŷ Mawr. Agorodd y drws ffrynt a daeth Mrs Marged Cadabra allan. Yn ei hymyl roedd Locsyn a Nain.

'Nain!' meddai Ab a Babs gyda'i gilydd.

'Mi ddaru Nain fy 'nabod i'n syth pan ddois i yma i gael cip ar y tŷ ddau fis yn ôl,' meddai eu tad. 'Roedd hi'n fy nghofio i'n hogyn bach yn cymryd rhan mewn sioeau ar Ynys Môn.'

'Morgan Ifans oedd eich enw, ontefe?' meddai Tomos – a gwenodd ar Nain.

Roedd Nain wedi gofalu rhoi'r cliwiau i gyd iddo:

Morgan Ifans yn ei siwt ddu
cyfeiriad y gwynt
y glaswellt ar lawr y gegin
ac yna'r falŵn . . .

Pan welodd Tomos y falŵn, roedd e wedi cofio
ei bod bron iawn, iawn yn ddydd ei ben-blwydd.
A phwy well na Nain am drefnu syrpreis iddo ar
ei ben-blwydd ond Nain?

Am syrpreis gwych!

MEGA–gwych!

Roedd Nain wedi trefnu iddo ddatrys ei gês
cyntaf – a dyna'r anrheg ben-blwydd orau erioed.

# Pennod 9

'Pen-blwydd hapus, Ditectif Tomos!'

'Pen-blwydd hapus, Ditectif Tomos!'

'Pen-blwydd hapus, Ditectif!'

Drannoeth sylweddolodd Tomos fod pawb ar Stad Bryn-crin – PAWB! – yn gwybod ers wythnosau am 'Ddirgelwch y Tŷ Gwag' ac wrth eu boddau'n helpu'r consurwyr. Roedden nhw i gyd wedi gweithio fel tîm!

'Ro'n i'n methu deall pam doedd neb wedi cwrdd â'r bobl newydd oedd wedi prynu Tŷ

Mawr,' meddai Tomos wrth Locsyn. 'Esgus oedden nhw, ontefe?'

'Iap!' meddai Locsyn.

'Oeddet ti'n gwybod, Locs?'

Ddwedodd Locsyn ddim gair, ond cyn pen dim byddai Tomos yn cofio mai Locsyn oedd wedi bwrw'r cliw cyntaf tuag ato â'i drwyn.

Roedd Tomos a Locsyn wedi cael bore gwerth chweil. Ar ôl treulio'r nos yn nhŷ Nain, roedd y Cadabras wedi mynd lan i Tŷ Mawr i ddisgwyl am y lorri gelfi ac roedd Tomos wedi mynd gyda nhw i helpu. Wedyn roedd pawb wedi dod i gael cinio yn Rhif 10 gyda Mam a Dad a oedd newydd ddod yn ôl o Bontypridd.

'Dwi mor falch ein bod ni wedi dod i fyw yma,' meddai Marged Cadabra. Gwraig fywiog gyda gwallt coch pigog fel ei merch oedd hi. 'Mae pawb mor garedig a dwi'n siŵr y bydd y plant wrth eu boddau.'

'Mae'n hen bryd iddyn nhw setlo a challio,' meddai'i gŵr. 'Bydd Tomos yn esiampl iddyn nhw.'

Roedd Tomos wedi cochi – yn enwedig gan fod Ab a Babs yn tynnu wynebau dwl arno. A dweud y gwir, doedd e ddim eisiau bod yn esiampl. Roedd yn well ganddo fod yn dditectif.

Er mor wirion oedden nhw, roedd Tomos yn siomedig pan aeth y Cadabras adre i Tŷ Mawr ar ôl cinio. Roedd popeth mor dawel hebddyn nhw. Aeth e a Locsyn allan i chwarae gyda'r set ymarfer golff newydd a gafodd e gan Mam a Dad. Roedden nhw'n taro peli dros y glaswellt pan ganodd y ffôn ym mhoced Tomos.

'Psssst! Ditectif!' meddai llais Babs. 'Os wyt ti am gael dy dalu am neithiwr, rhaid i ti gasglu'r bocs arian o ganol lawnt Tŷ Mawr am ddau o'r gloch.'

Cyn i Tomos gael cyfle i ddweud gair, roedd Babs wedi mynd.

Edrychodd Tomos ar ei wats. Roedd hi bron yn ddau!

'Dere, Locsyn!' galwodd a dyma'r ddau'n mynd ar ras i gyfeiriad Tŷ Mawr.

Yn wahanol i'r noson cynt roedd yr haul yn tywynnu a'r awyr yn las drwy frigau'r coed. Roedd synau hapus yn atsain o'r tŷ, sŵn siarad a chwerthin. Ond dim ond un peth dynnodd sylw Tomos – y cwpwrdd mawr gwag ar ganol y lawnt gyda Babs yn sefyll yn ei ymyl.

'Hei, Mr Ditectif!' galwodd hi wrth i Tomos

nesáu. 'Dyma dy dâl di. Gwylia!' Caeodd ddrws y cwpwrdd a gweiddi 'Abracadabra!' Ar unwaith agorodd y drws eto a chamodd Ab allan yn cario bocs wedi'i lapio mewn papur arian.

'Pen-blwydd hapus, Mr Ditectif!' meddai gan estyn y bocs i Tomos.

Rhwygodd Tomos y papur oddi ar y parsel.

'Waw!' Y tu mewn i'r bocs roedd cit ditectif, sef chwyddwydr cryf, meicrosgop, llyfr nodiadau, powdwr olion bysedd, a phlastr i godi olion traed.

'Waw!' meddai Tomos unwaith yn rhagor a'i lygaid fel sêr. 'Ffantastig!' Nid cit i blant bach oedd hwn, o nage. Roedden nhw'n bethau gwerth chweil. 'Diolch yn fawr iawn, iawn.'

'Dwyt ti ddim wedi gorffen eto,' meddai Babs. 'Mae 'na anrheg arall.'

Gwthiodd Tomos ei law o dan y bocs a thynnu allan grys-T gwyn wedi'i blygu'n dwt. Ar y crys-T roedd llun o chwyddwydr gydag ôl pawen ci yn ei ganol.

'O, grêt!' meddai Tomos – nes i Babs ei dynnu o'i law.

Ysgydwodd Babs y crys-T a daeth geiriau i'r

golwg, geiriau a wnaeth i wallt Tomos godi ar dop ei ben.

'TAB,' darllenodd Ab gan sboncio'n hapus.

'TAB am Tomos Aled Beynon,' meddai Babs. 'Dy enw di.'

Nodiodd Tomos. Y ddau air nesa oedd yn frawychus.

A'R CADABRAS!

'Tab a'r Cadabras!' meddai Babs. 'Da-dang!'

Neidiodd hi ac Ab ar eu traed a thynnu eu siacedi. O dan y siacedi roedd dau grys-T yn union 'run fath.

'Dyfala be!' meddai Ab a'i lygaid yn disgleirio. 'Mae Babs a fi'n mynd i fod yn dditectifs gyda ti.'

'Ro'n i wedi dyfalu,' meddai Tomos a'i geg yn gam.

'Byddwn ni'n help mawr i ti!' meddai Ab.

'Fe ddysgwn ni bob math o driciau i ti!' meddai Babs.

'Wir?' gofynnodd Tomos yn ddiniwed. 'Allwch chi ddangos i fi sut mae diflannu?'

'Gallwn!' meddai Ab a Babs ar unwaith gan ruthro i mewn i'r cwpwrdd hud.

Cyn gynted ag y caeodd y drws, winciodd Tomos ar Locsyn.

'Ta-ta-Cadabras!' sibrydodd – a dyma nhw'n diflannu hefyd!